ドクターエッグ
いきもの入門 ⑦ オウム・ミミズク・クロハゲワシ

かがくるBOOK

目次

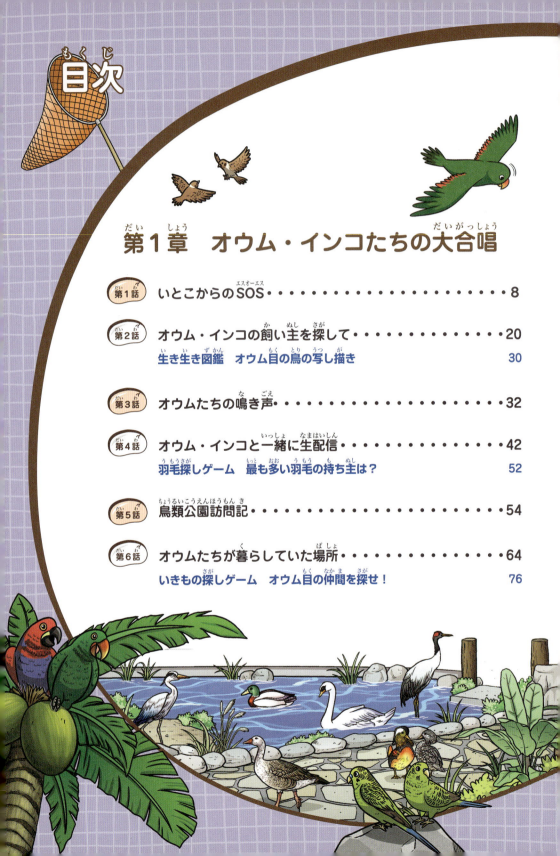

第1章 オウム・インコたちの大合唱

- 第1話 いとこからのSOS……………………8
- 第2話 オウム・インコの飼い主を探して……………20
  - 生き生き図鑑 オウム目の鳥の写し描き　30
- 第3話 オウムたちの鳴き声……………32
- 第4話 オウム・インコと一緒に生配信……………42
  - 羽毛探しゲーム 最も多い羽毛の持ち主は？　52
- 第5話 鳥類公園訪問記……………54
- 第6話 オウムたちが暮らしていた場所……………64
  - いきもの探しゲーム オウム目の仲間を探せ！　76

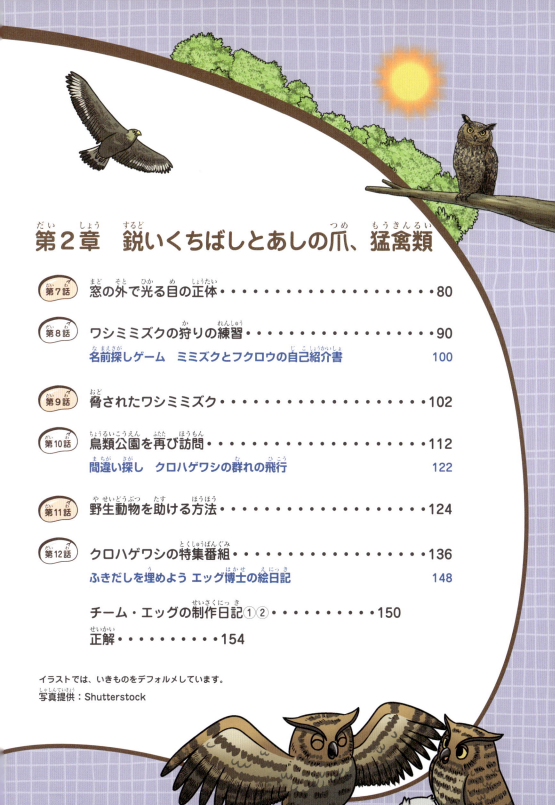

第2章　鋭いくちばしとあしの爪、猛禽類

- 第7話　窓の外で光る目の正体・・・・・・・・80
- 第8話　ワシミミズクの狩りの練習・・・・・・・90
  - 名前探しゲーム　ミミズクとフクロウの自己紹介書　100
- 第9話　脅されたワシミミズク・・・・・・・・・102
- 第10話　鳥類公園を再び訪問・・・・・・・・・112
  - 間違い探し　クロハゲワシの群れの飛行　122
- 第11話　野生動物を助ける方法・・・・・・・・124
- 第12話　クロハゲワシの特集番組・・・・・・・136
  - ふきだしを埋めよう　エッグ博士の絵日記　148

チーム・エッグの制作日記①②・・・・・・・150
正解・・・・・・・154

イラストでは、いきものをデフォルメしています。
写真提供：Shutterstock

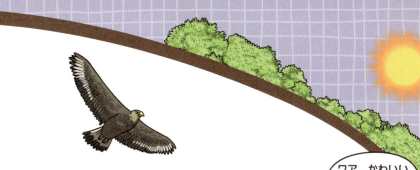

ヤン博士

採集への情熱★★★★★

- 誕生日　1月1日（やぎ座）
- 血液型　AB型
- 今回のミッション

①オウムたちの話し相手　②野生の鳥を救う

③写真から場所を推理する！

> ワア、かわいいセキセイインコたち！

ウン博士

知識の応用力★★★★★

- 誕生日　2月17日（みずがめ座）
- 血液型　A型
- 今回のミッション

①オウム・インコとの生配信をする

②コミミズクを撮影　③クロハゲワシのえさやり

> 体長140cmのハシビロコウとカシャッ！

第1章

オウム・インコたちの大合唱

愛らしいオウムたちがチーム・エッグの事務所に飛んできたよ。
エッグ博士と一緒に、オウムやインコたちに会いに行こう！

第1話
いとこからのSOS

それは……、ある日の午後だった。いとこのエッグ博士に頼まれたことを1つずつかたづけていたんだ。いきものにえさをあげ、掃除をして、少し休んでたんだけど……。

新鮮な風を入れて換気しよう！

一仕事を終えたあとの1杯は最高だった。

いいね、いい。

きれいになった事務所を見たらみんな驚くだろうな。

＊渡り鳥：季節によって移動しながら生活する鳥。

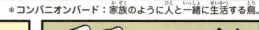

オウム・インコについて学びましょう！

オウムとインコはオウム目に属する鳥で、世界中に300種以上います。野生のオウムとインコの多くは木の上で群れを成して生活していて、木の実や種、昆虫などを食べます。

オウム・インコの成長

1．卵
メスが卵を産みます。

2．孵化
セキセイインコの場合、18〜20日で卵からひなが生まれてきます。

セキセイインコは年に1〜2回、1回に4〜6個の卵を産みます。

3．親鳥はひなにえさを食べさせます。

大きくなるにつれてうぶ毛が抜けて新しい羽毛が生えはじめます。

4．成鳥になる
セキセイインコの場合、卵からかえって1カ月半くらいで見た目は親と変わらなくなります。成鳥（大人の鳥）になるのは、卵からかえって10カ月後くらいからといわれています。

コンパニオンバードのオウム・インコ

オウムやインコは他の鳥に比べ知能が高く、社会性があって、人とコミュニケーションがとれます。このため、コンパニオンバードとして飼う人が増えています。小型・中型のオウムやインコは約15〜30年、大型のものは30〜80年以上生きるほど長生きです。したがって、オウムやインコを飼う前に、長い間家族として暮らせるか、十分に検討しなければなりません。

オウム・インコの飼い主を探して

ああ、この子たち！ひそかに問題児だね……。

オウムやインコは愛らしいけど、問題もよく起こすらしい。

いとこの言う通りだったかも……。

コンパニオンバードと呼ばれるくらいだから、オウムやインコは飼いやすい鳥だけど、飼い主との信頼関係が築けてないと、問題行動が出ることがあるんだ。

フンもすごいね。

よく鳴くなぁ……。

飼い主が見つかるまで、まずは臨時の家を作ってあげよう。家ができれば落ち着くよ。

よし、準備OK！

エッグ博士と一緒に
オウム・インコの飼育の準備

❶鳥かごを用意
鳥かごは大きいほどいいです。鳥が羽を広げてもぶつからない広さのかごを用意してください。

❷止まり木を設置
止まり木は爪やくちばしを研ぐ役割もあるので、いろいろな種類の止まり木を用意しましょう。

❸おもちゃを入れる
好奇心旺盛で活発な性格なので、オウムやインコ用のおもちゃを入れると喜びます。

❹ペットシーツを敷く
清潔を維持しやすいよう、鳥かごの底にペットシーツや新聞紙を敷きましょう。

❺水浴び場を用意
水浴び場を設置します。水は毎日替えてきれいにします。

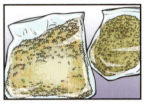

❻えさをあげる
オウムやインコは草食中心の雑食動物です。果物、野菜、穀物、ボレー粉（ミネラル）などをあげてください。

「オウムの家が完成！」

「万歳〜!!」

「疲れた……!」

「オウムやインコはもともと熱帯地方に生息していたので、暖かさを保ってね。」

オウム・インコの口と脳

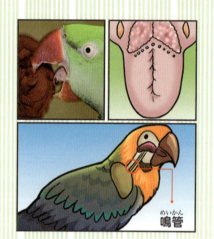

オウムやインコは、人と似た口のつくりをしているんだ。

オウムやインコの舌は人の舌と似ています。舌先が人の舌のように丸くて厚く、思い通りに動かすことができます。また、「鳴管」という発声器官が他の鳥より発達していて、空気の出入りで声を調節できます。それで、いろいろな声が出せるのです。

鳴管

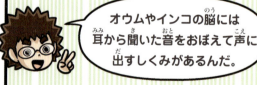

オウムやインコの脳には耳から聞いた音をおぼえて声に出すしくみがあるんだ。

オウムやインコは、他の多くの鳥とは異なり、人のように耳から聞いた音を聞いた通りに発声することができます。

オウム目の鳥の写し描き

下のスペースにまねて描いたら、好きな色で塗ってね。

ヨウム
インコ科の鳥で知能が高いことが知られています。

体長：30〜35cm
特徴：羽毛のほとんどが灰色で、尾羽は赤い。

30

オカメインコ
名前はインコとなっていますが、オウム科の鳥です。

体長：30〜35cm
特徴：ほおに赤い斑点があり、羽毛は品種によって白色、黄色、灰色など。

オウムたちの鳴き声

*猛禽類：タカ、ワシ、フクロウ、ミミズクなどの肉食の仲間の鳥。

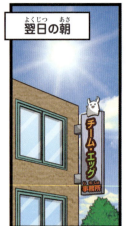

オウム・インコの仲間たち
消えたオウム・インコ探し

コザクラインコ

羽の色がカラフルで、尾は短い。ペアになるといつも仲良くしているのでラブバード（愛の鳥）と呼ばれています。飼い主にも慣れやすいといわれます。

セキセイインコ

体が小さくて、羽と尾はとがっていて、羽の色はさまざま。社会性が強く群れを成して生活し、小型のインコの中ではよくものまねをする方です。

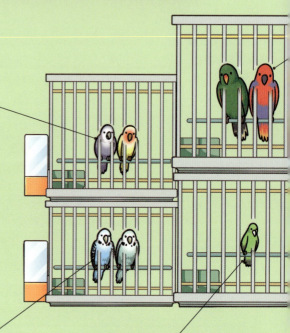
サザナミインコ

性格はおとなしくて、静か。臆病なところがあるので新しい環境に適応するのに時間がかかる場合があります。小型のインコですが、おしゃべりやものまねもします。

オオハナインコ

大型のインコで、緑色はオス、赤色はメスで区別しやすい。静かで落ち着いた性格ですが、急に大声を出すこともあります。人の言葉をまねるのが得意です。

オカメインコ

名前はインコでもオウム科に属し、頭の上の冠羽が特徴です。おとなしい性格で人とのコミュニケーションをよくとり、愛嬌があります。

ヨウム

大型のインコで、灰色の体に赤い尾羽があります。飼い主によくなつき、言葉をまねるのが上手です。臆病な方です。

コバタン

大型のオウムで、白い体に黒いくちばしとあし、黄色い冠羽があります。人になつきやすく、飼い主とも仲良くなります。一人ぼっちにすると飼い主を探そうと大きな声を上げることもあります。

「コバタンがいなくなったのか!!!」

オウム・インコのしぐさいろいろ

首を傾げる
ものをよく見ようとしたり、気になる音がしたときにするしぐさです。

あれ何だろう!?

頭を下げて近寄る
飼い主にかまってほしいというしぐさです。

なでて！

翼を肩から離して震わせる
気分が良かったり、遊んでほしかったり、おやつがほしかったりするときのしぐさ。

暑いときにもすることがあります。

くちばしをガリガリする
眠かったりリラックスしたりしている状態です。

ガリガリ！

伸びをする
片方の翼と片方のあしを横にグッと広げると、十分に休んだという意味です。

グーッ

尾羽を開く
緊張したとき、尾羽を扇型にパッと開きます。相手に自分を大きく見せるためともいわれています。

48　体を使った表現は、オウム・インコの種や個体によってそれぞれ違うので、しぐさの意味がこの通りでないこともあります。

オウムやインコはしぐさで気分や気持ちを表すよ。今からヤン博士がいろいろなしぐさを撮ってみるね！

羽毛をふくらませて体を揺らす
怒っているという意味。
怒ったぞ！

めちゃ腹たつ！！
顔の羽毛をふくらませフッと息を吐く
とても怒っている状態。こういうときは近寄らないようにしましょう。

冠羽を立てる
驚いたり興味の対象を見つけたという意味。
あっ、気になる！

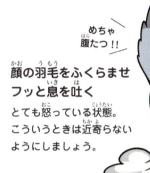

翼を広げて鳥かごにしがみつく
自分のなわばりを知らせる行動。
この鳥かごは私のもの！

震えながら背中に顔をうずめる
寒いときに見せる行動。部屋を暖かくしてあげましょう。
ウウ、寒い！

こんなに愛らしいオウムたちの飼い主はいったいどこにいるんだろう……？

最も多い羽毛の持ち主は？

羽毛探しゲーム

1. オオハナインコ
2. ヨウム
3. セキセイインコ
4. コバタン
5. オカメインコ
6. サザナミインコ
7. コザクラインコ

誰を連れていこうかな〜？

オウムやインコの飼い主に関する情報を受け取ったエッグ博士は、散らばった羽毛の中で、一番多い羽毛の本数の鳥と一緒に飼い主を探しに行くことにしました。
エッグ博士と一緒に出かけるラッキーな鳥はどの鳥でしょう？

正解：154ページ

第5話
鳥類公園訪問記

鳥の体のつくりを調べてみよう！

鳥は生息環境や種によって、あし、くちばし、翼の形がさまざまです。それぞれどう異なるのか、体のつくりについて調べてみましょう。

くちばし

くちばしは角質でできています。伸び続けるので、止まり木などをかじったりして削り、長さを調整しています。

タカ
先が曲がりとがっています。このくちばしで肉を引きさいて食べます。

カワラヒワ
太くて強いくちばしで、硬い種子の皮を割って食べます。

ハチドリ
花の蜜を吸うために細く長いくちばしを持っています。

アオサギ
長くて鋭いくちばしで魚を銛で刺すように捕食します。

翼

空中に浮くための揚力と、翼を羽ばたかせ空を飛ぶ推進力を得ます。種によって翼の形はさまざまです。

多くの鳥が持つ楕円型の翼

翼がとがっていて羽根が密。速く飛ぶ鳥の翼

翼が長くて狭く、風に乗って滑るように飛ぶ海鳥の翼

飛べないものの泳ぐのに役立つペンギンの翼

鳥の骨は含気骨と呼ばれ、空気が入っているから体が軽いんだ。

あし

鳥のあしの指はふつう4本で、えさや生息場所、歩き方などによって形が異なります。

水かきがついているカモのあし

狩りをする猛禽類のあし

木の上で生活するスズメ目のあし

地上を歩くニワトリのあし

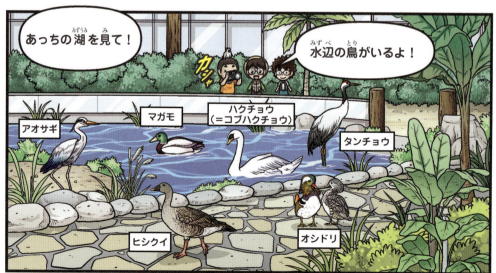

第6話 オウムたちが暮らしていた場所

この人がオウムやインコの飼い主か……。

鳥たちはご友人になついていたんですね。

友人のチョン博士は、この鳥たちと過ごす時間が長かったんだ。

私たちは大学で出会い、鳥について一生懸命勉強した。そうして私たちは鳥類学者になって、お互いの長い夢だった鳥類公園を、力を合わせてつくったんだ。

でも、友人の病が急激に悪化して、そのまま……。

オウム目の仲間を探せ！

ここには鳥がたくさん集まっています。
この中からオウム目の鳥を10羽探して〇で囲みましょう。

正解：154ページ

第2章

鋭いくちばしとあしの爪、猛禽類

肉食で狩りをする猛禽類にはミミズク、ワシ、タカなどが属しています。猛禽類に会いに行きましょう！

フクロウとミミズクについて調べよう。

猛禽類は鋭いくちばしと爪をもつ鳥類で、狩りをして他の動物を捕えて食べます。ワシやタカが属するタカ目と、ミミズクやフクロウが属するフクロウ目の鳥たちがいます。ここではフクロウ目の鳥たちについて調べましょう。

違う点 ほとんどのミミズクは頭に耳のように見える羽（耳羽）があります。

フクロウは丸い顔で、ふつうは耳羽がありません。

共通点 ミミズクとフクロウはほとんどが夜行性です。ネズミ、小型の鳥、昆虫などを捕食する肉食の鳥類です。

フクロウ目の鳥たち

コノハズク

メンフクロウ

シロフクロウ

フクロウ

トラフズク

ワシミミズク

アオバズク

コミミズク

ワシミミズクの狩りの練習

☆集中探求☆
ワシミミズクは、昼間は森の木の上などで休んでいます。夜になると獲物を探し、おそいかかって捕えます。

☆集中探求☆
ミミズクは目はあまり動かせませんが、首の骨が発達しているため、首を両側に270度回すことができます。

名前探しゲーム
ミミズクとフクロウの自己紹介書

ワシミミズク
私は日本に生息するフクロウ科の中では、シマフクロウに次いで大きいんだ。頭に生えてる耳羽がカッコいいだろ。

コミミズク
私はフクロウ科の中では変わっていて、昼間も狩りをするよ。私の耳羽はとても短くて、外からはよく見えないんだ。

コノハズク
私は「ブッ・ポウ・ソウ」と声を出して鳴くのが特徴なんだ。渡り鳥で、日本には5月ごろに渡ってくるよ。

ミミズクとフクロウが自己紹介をしています。
名前と写真を正しくつないでみましょう。

アオバズク
私はフクロウ科で耳羽もないのに、名前に「ズク」が入っているんだ。主に甲虫やセミなどの昆虫を捕食するよ。

フクロウ
私は黒い目と黄色いくちばしが特徴だよ。一年中同じ場所にいる留鳥だけど、私を見かけるのは簡単じゃないかも。

コキンメフクロウ
私はフクロウ科の中では体が小さいよ。日本にはいないけど、ペットとして飼われてるよ。

正解：155ページ

第9話
脅されたワシミミズク

☆集中探求☆
ワシミミズクは脅威を感じるとくちばしをカチカチ鳴らし、翼を広げ、体を最大限にふくらませます。

あの行動はすごく怒ってるって表現なんだ。

一目でわかるね。

このワシミミズクはどうしてここに？

誰かが捨てた網にかかって身動きできなかったのを朝方見つけたのさ。

傷を確認しなきゃいけないけど、こんなに乱暴だと……。

＊ワシミミズクは日本では絶滅危惧ⅠA類（ごく近い将来における野生での絶滅の危険性が極めて高いもの）に指定されています。

ワシミミズクの成長を調べてみましょう。

ワシミミズクの独り立ちまでの過程を調べましょう。

ワシミミズクの成長

1. 卵
春に岩穴や岸壁の平たい場所などに、卵を2、3個産みます。メスが卵を温めている間、オスはえさを運んできます。

2. 孵化
35日前後が経過するとワシミミズクのひなが卵を割って出てきます。

3. 成長
ひなたちは親に保護されながら育ちます。オスはえさを運び、メスはひなたちの世話をします。

4. 狩りの練習と独り立ち飛行
40〜50日ほどが過ぎると羽ばたきをして、親から狩りの仕方などを習って大人になる準備をします。

5. 独り立ち
秋になると子どもたちはそれぞれ散らばり、ひとりで生きていきます。

タカ目の仲間を調べてみよう！

クロハゲワシは、タカ目の猛禽類で、韓国では天然記念物に指定されています。高い山や草原に生息しています。

クロハゲワシとオオワシの比較

クロハゲワシ		オオワシ
大型の猛禽類で、オオワシよりも大きい。頭の毛が少ない、もしくはない。	外見	くちばしとあしの爪が発達していて、頭のてっぺんにも羽毛がある。
小さな群れを成して生活する。	生活	ふつうは、単独で生活する。
獲物を狩る能力が劣る。	狩りの技術	獲物を狩る能力に優れている。
動物の死骸や死にそうな動物を食べる。	エサ	生きているものを捕食する。

いろいろなタカ目の鳥

クロハゲワシ

オオワシ

イヌワシ

オジロワシ

ハクトウワシ

カタシロワシ

ミサゴ

クロハゲワシの群れの飛行

エッグ博士と仲間たちがクロハゲワシの群れを発見しました。
2つの絵を見比べて、違うところを10個選びましょう。

正解：155ページ

日本では、猛禽類を含む野鳥をつかまえたり飼ったりすることは禁止されています。

けがをした野生動物を見つけたときの対処法

森でけがをした動物を見つけました。どうしたらいいでしょうか？

❶ 自分で保護すると、野生動物をより危険にさらすことになるかもしれないので、野生動物にできるだけ触れずに、野生動物保護センターや都道府県の野生鳥獣担当の部署に連絡し、アドバイスを受けてください。

❷ 動物には、触れないようにします。もし触れる場合は、必ず厚手の手袋をしてください。

❸ 野生動物に触れた手袋や物は消毒し、手をきれいに洗ってください。野生動物が寄生虫や病気を移す恐れがあるからです。

❹ 発見場所を正確におぼえておくと、後で自然に返す際、役に立つ情報になります。

人に救助されたワシミミズク

滑空飛行とは何でしょうか？

クロハゲワシのような大型の鳥は羽ばたきをあまりしません。小型の鳥のように羽ばたきをたくさんすると、エネルギーを使い果たしてしまうからです。そのため、巨大な翼を広げグライダーのように空気の流れに乗って滑るように飛行します。このような飛び方を滑空飛行といいます。

エッグ博士の絵日記

オウムたちをお母さんの家に返した日

猛禽類を自然に返した後、いとこに電話をして事務所にいるオウムとインコ9羽をお母さんの家に連れてきてとお願いした。

ブツブツ言いながらも、オウムたちを連れてきたいとこのおかげで飼い主のお母さんはオウムたちと喜びの再会を果たすことができた。

エッグ博士が書いた絵日記を見て、空欄のふきだしに合うセリフを書いてみよう。

お母さんの家に、ニワトリとカモの憩いの場をつくってあげた日

今日はお母さんの家の倉庫を改造して、ニワトリとカモの憩いの場をつくることにした。僕とヤン博士、ウン博士は朝からせっせと働いた。

家の中で過ごしてきたニワトリとカモが初めて外に出た日！ 憩いの場と庭を自由に行き来して遊ぶ様子に、おのずと笑みがこぼれた。

チーム・エッグの制作日記①

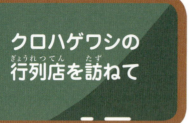

チーム・エッグの制作日記②

クイズの答えを確認する番だよ。正解を確認してみてね。

52〜53ページ

76〜77ページ

100〜101ページ

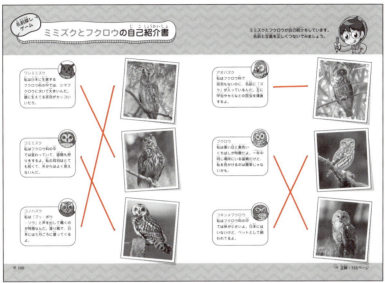

122〜123ページ

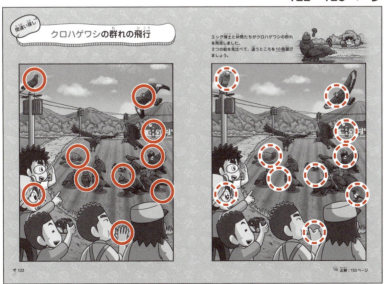

에그 박사 7

Text Copyright © 2022 by Mirae N Co., Ltd. (I-seum)
Illustrations Copyright © 2022 by Hong Jong-Hyun
Contents Copyright © 2022 by The Egg
Japanese translation Copyright © 2023 Asahi Shimbun Publications Inc.
All rights reserved.
Original Korean edition was published by Mirae N Co., Ltd.(I-seum)
Japanese translation rights was arranged with Mirae N Co., Ltd.(I-seum)
through VELDUP CO.,LTD.

ドクターエッグ7　オウム・ミミズク・クロハゲワシ

2023年12月30日　第1刷発行

著　者　文　パク・ソンイ／絵　洪鐘賢(ホンジョンヒョン)
発行者　片桐圭子
発行所　朝日新聞出版
　　　　〒104-8011
　　　　東京都中央区築地5-3-2
　　　　編集　生活・文化編集部
　　　　電話　03-5541-8833(編集)
　　　　　　　03-5540-7793(販売)

印刷所　株式会社リーブルテック
ISBN978-4-02-332312-4
定価はカバーに表示してあります

落丁・乱丁の場合は弊社業務部(03-5540-7800)へ
ご連絡ください。送料弊社負担にてお取り替えいたします。

Translation：Han Heungcheol / Kim Haekyong
Japanese Edition Producer：Satoshi Ikeda
Special Thanks：Kim Suzy / Lee Ah-Ram
　　　　　　　　(Mirae N Co.,Ltd.)